Dirección editorial: Cristina Arasa
Coordinación de la colección: Mariana Mendía
Edición: Libia Brenda Castro
Diseño y formación: Javier Morales Soto

Canciones del colibrí. Rimas de América Latina

Coedición: Ediciones Castillo, S. A. de C. V.
Consejo Nacional para la Cultura y las Artes
Dirección General de Publicaciones

Primera edición: septiembre de 2014

Integrantes: Lorena Gedovius, José Luis González Romero, Juan Gedovius

Estas coplas, canciones y rondas son de tradición oral.
Las versiones y fragmentos de este libro fueron tomadas
de interpretaciones populares.

Insurgentes Sur 1886, Col. Florida,
Del. Álvaro Obregón,
C. P. 01030, México, D. F.

Dirección General de Publicaciones
Avenida Paseo de la Reforma 175, Col. Cuauhtémoc,
C. P. 06500, México, D. F.
www.conaculta.gob.mx

**Ediciones Castillo forma parte
del Grupo Macmillan**

**www.grupomacmillan.com
www.edicionescastillo.com
infocastillo@grupomacmillan.com
Lada sin costo: 01 800 536 1777**

Miembro de la Cámara Nacional
de la Industria Editorial Mexicana.
Registro núm. 3304

ISBN: 978-607-621-089-5, Ediciones Castillo
ISBN: 978-607-516-701-5, CONACULTA

Impreso en México / *Printed in Mexico*

Impreso en los talleres de Editorial Impresora Apolo, S. A. de C. V.
Centeno 150-6, Col. Granjas Esmeralda, Delegación Iztapalapa,
C. P. 09810, México, D. F.
Septiembre de 2014.

*Para Pedro, estas canciones
que un colibrí me susurró al oído*
M. R. J.

Selección e ilustraciones de
MARIANA RUIZ JOHNSON

Canciones del colibrí

RIMAS DE AMÉRICA LATINA

CONACULTA
Dirección General
De Publicaciones

CASTILLO

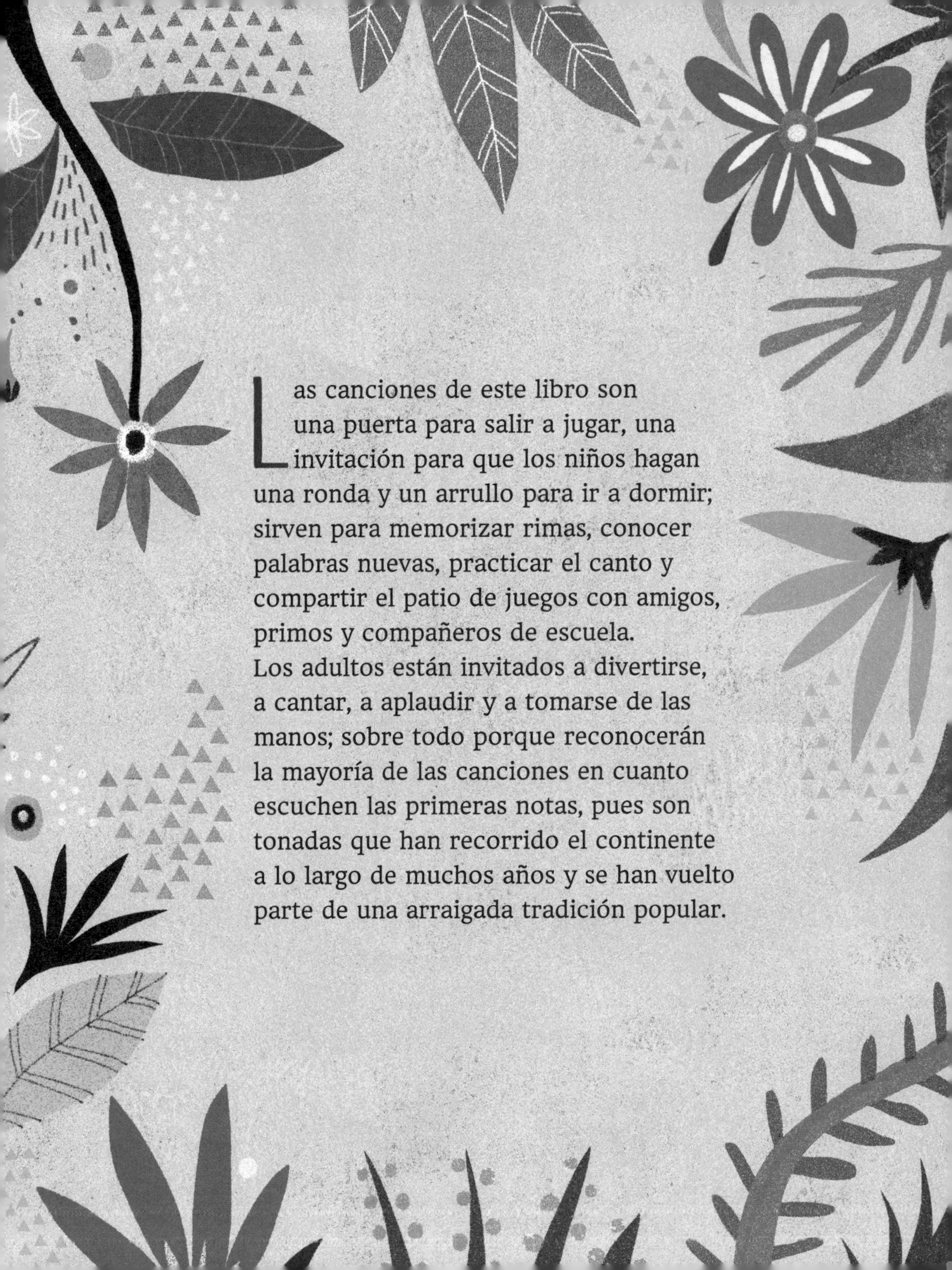

Las canciones de este libro son una puerta para salir a jugar, una invitación para que los niños hagan una ronda y un arrullo para ir a dormir; sirven para memorizar rimas, conocer palabras nuevas, practicar el canto y compartir el patio de juegos con amigos, primos y compañeros de escuela.
Los adultos están invitados a divertirse, a cantar, a aplaudir y a tomarse de las manos; sobre todo porque reconocerán la mayoría de las canciones en cuanto escuchen las primeras notas, pues son tonadas que han recorrido el continente a lo largo de muchos años y se han vuelto parte de una arraigada tradición popular.

Canciones del colibrí

Bienvenidos a mi casa,
pasen todos al jardín,
en la hierba perfumada
baila y canta el colibrí.

Su plumaje es de colores,
canela, mango y ají,
conoce tierras lejanas
y mares de aquí y de allí.

Se trajo sobre las alas
canciones mi colibrí
que tienen aroma a lima,
albahaca, café y maíz.

MARIANA RUIZ JOHNSON. Argentina

Arbolito de naranja

Arbolito de naranja,
peinecito de marfil
de la niña más bonita
del Colegio Guayaquil.

La Chanita y la Juanita
fueron a cortar limones,
encontraron seco el árbol
y se dieron topetones.

Versión ecuatoriana. Fragmento

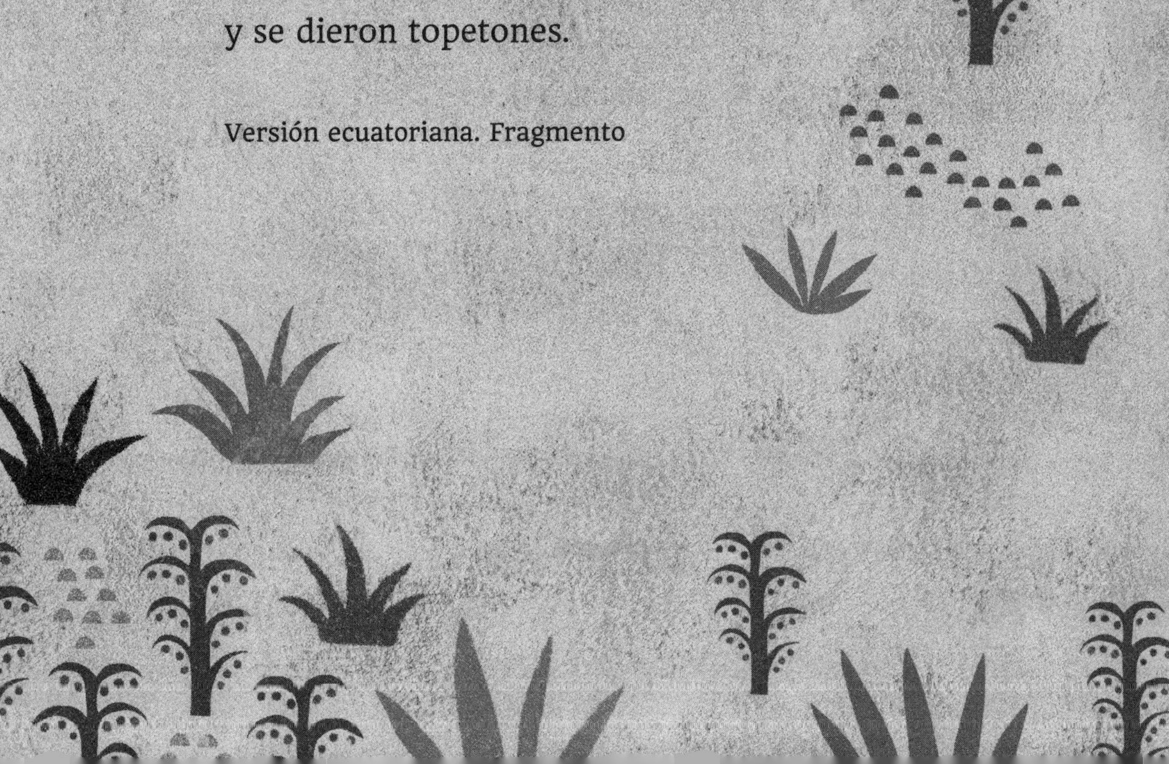

El torito jarocho

Este torito que traigo
no es pinto ni es colorado,
no es pinto ni es colorado,
este torito que traigo.
Es un torito barroso
de los cuernos recortados.
Este torito que traigo
no es pinto ni colorado.

¡Lázalo, lázalo, lázalo que se te va!
Y échame los brazos, mi alma,
si me tienes voluntad.
¡Lázalo, lázalo, lázalo que se te fue!
Échame los brazos, mi alma
y nunca te olvidaré.

Este torito que traigo
lo traigo desde Tenango,
lo traigo desde Tenango,
este torito que traigo.
Y lo vengo manteniendo
con cascaritas de mango.
Este torito que traigo,
lo traigo desde Tenango.

Canción mexicana. Fragmento

Los esqueletos

Cuando el reloj marca la una
los esqueletos salen de su tumba.
Cuando el reloj marca las dos
los esqueletos mueren de tos.
Tumba, que te tumba, que te tumba, tumba, tumba,
tumba, que te tumba, tumba.

Cuando el reloj marca las tres
los esqueletos se vuelven al revés.
Cuando el reloj marca las cuatro
los esqueletos pintan un retrato.
Tumba, que te tumba, que te tumba, tumba, tumba,
tumba, que te tumba, tumba.

Versión costarricense. Fragmento

Flores de mimé

A la orilla del río, verbena de maromé,
flores de mimé tengo sembrado,
azafrán y canela, verbena de maromé,
flores de mimé, pimienta y clavo.

En la falda de la montaña de maromé,
flores de mimé están sembrando,
un yucal, un cañal y canela de maromé,
flores de mimé y maíz morado.

Cuando quiero cantarle a mi chata de maromé,
flores de mimé con mi guitarra,
ensillo mi caballo plateado de maromé,
flores de mimé y voy montado.

Versión hondureña

El gallito

Se ha perdido mi gallito, la, la,
se ha perdido mi gallito, la, la.
Pobrecito, la, la, chiquitito, la, la
y no lo puedo encontrar.

Hay tres noches que no duermo, la, la,
al pensar en mi gallito, la, la.
Pobrecito, la, la, se ha perdido, la, la
y no se dónde estará.

Versión guatemalteca. Fragmento

Déjala que se vaya

Que se vaya esa paloma
que no quiere estar conmigo
que se vaya esa paloma
que ya no quiere mi abrigo.

Estará buscando el agua
se secó ya la laguna
en la pampa seguirá buscando
pero no tendrá fortuna.

Llegará hasta el árbol seco
de rama en rama volando
llegará hasta el árbol seco
y a poco se irá cansando.

Las lágrimas de su amado
tendrá que pagar llorando
llorando como la lluvia
como el río estará llorando.

Basada en una canción boliviana

La familia Cucharón

Mi papá Tenedor,
mi mamá Cuchara
y yo soy Cuchillito
de comida rara.

Mi abuelo Cucharón,
mi abuela Espumadera
y mi prima querida
Cuchara de Madera.

Estaba el negrito aquel,
estaba comiendo arroz;
el arroz estaba caliente
y el negrito se quemó.

La culpa la tiene usted,
por lo que sucedió,
por no haberle dado cuchara,
cuchillo ni tenedor.

Versión peruana

Caballito blanco

Caballito blanco
llévame de aquí,
llévame a mi pueblo,
donde yo nací.

Tengo, tengo, tengo,
tú no tienes nada,
tengo tres ovejas
en una cabaña.

Una me da leche,
otra me da lana,
y otra, mantequilla
para la semana.

Versión chilena. Fragmento

Arepitas

Arepitas de manteca
pa mamá que da la teta.
Arepitas de cebada
pa papá que no da nada.
Arepitas de maíz
pal bebé que está feliz.

Arepitas de manteca
pa mamá que está contenta.
Arepitas de salvado
pa papá que está enojado.
Arepitas de centeno
pal bebé que tiene sueño.

Versión venezolana

La petenera

La sirena está encantada
porque desobedeció,
nomás por una bañada
que en Jueves Santo se dio,
y a la semana sagrada.

La sirena de la mar
me dicen que es muy bonita;
yo la quisiera encontrar
y besarle su boquita,
pero como es animal
no se puede naditita.

Versión mexicana. Fragmentos

Rana Cucú

Cucú, cucú cantaba la rana,
cucú, cucú debajo del agua.
Cucú, cucú pasó un caballero,
cucú, cucú con capa y sombrero.
Cucú, cucú pasó una señora,
cucú, cucú con traje de cola.
Cucú, cucú pasó un marinero,
cucú, cucú vendiendo romero.
Cucú, cucú pidiole un ramito,
cucú, cucú no le quiso dar.
Cucú, cucú se puso a llorar.

Versión colombiana. Fragmento

Té, chocolate, café

¡Té, chocolate, café!
para servirle a usté.

No se enoje, don José,
que mañana le traeré
una taza de café
con pan francés,
amasado con los pies
en el año treinta y tres.

Versión uruguaya

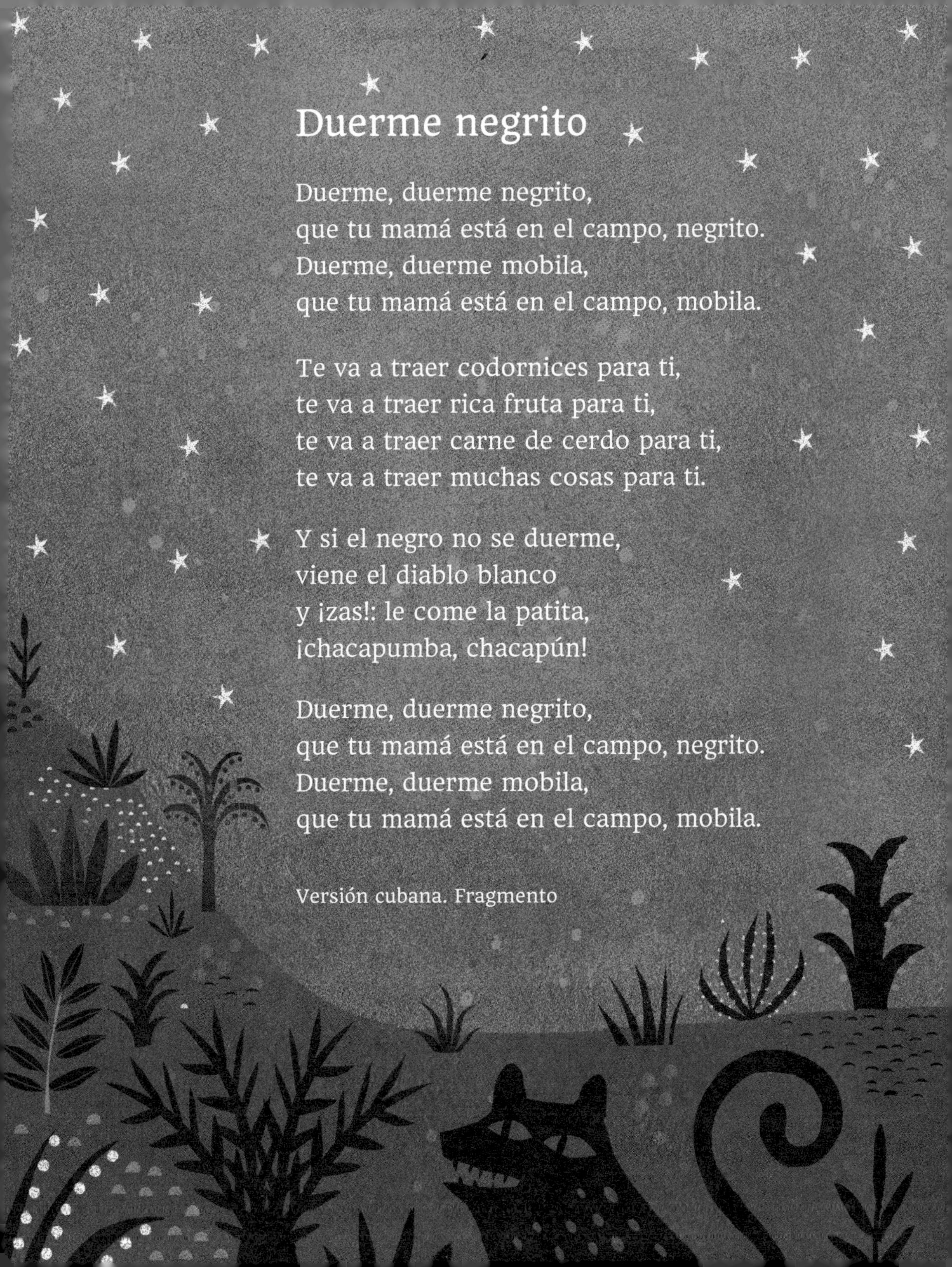

Duerme negrito

Duerme, duerme negrito,
que tu mamá está en el campo, negrito.
Duerme, duerme mobila,
que tu mamá está en el campo, mobila.

Te va a traer codornices para ti,
te va a traer rica fruta para ti,
te va a traer carne de cerdo para ti,
te va a traer muchas cosas para ti.

Y si el negro no se duerme,
viene el diablo blanco
y ¡zas!: le come la patita,
¡chacapumba, chacapún!

Duerme, duerme negrito,
que tu mamá está en el campo, negrito.
Duerme, duerme mobila,
que tu mamá está en el campo, mobila.

Versión cubana. Fragmento

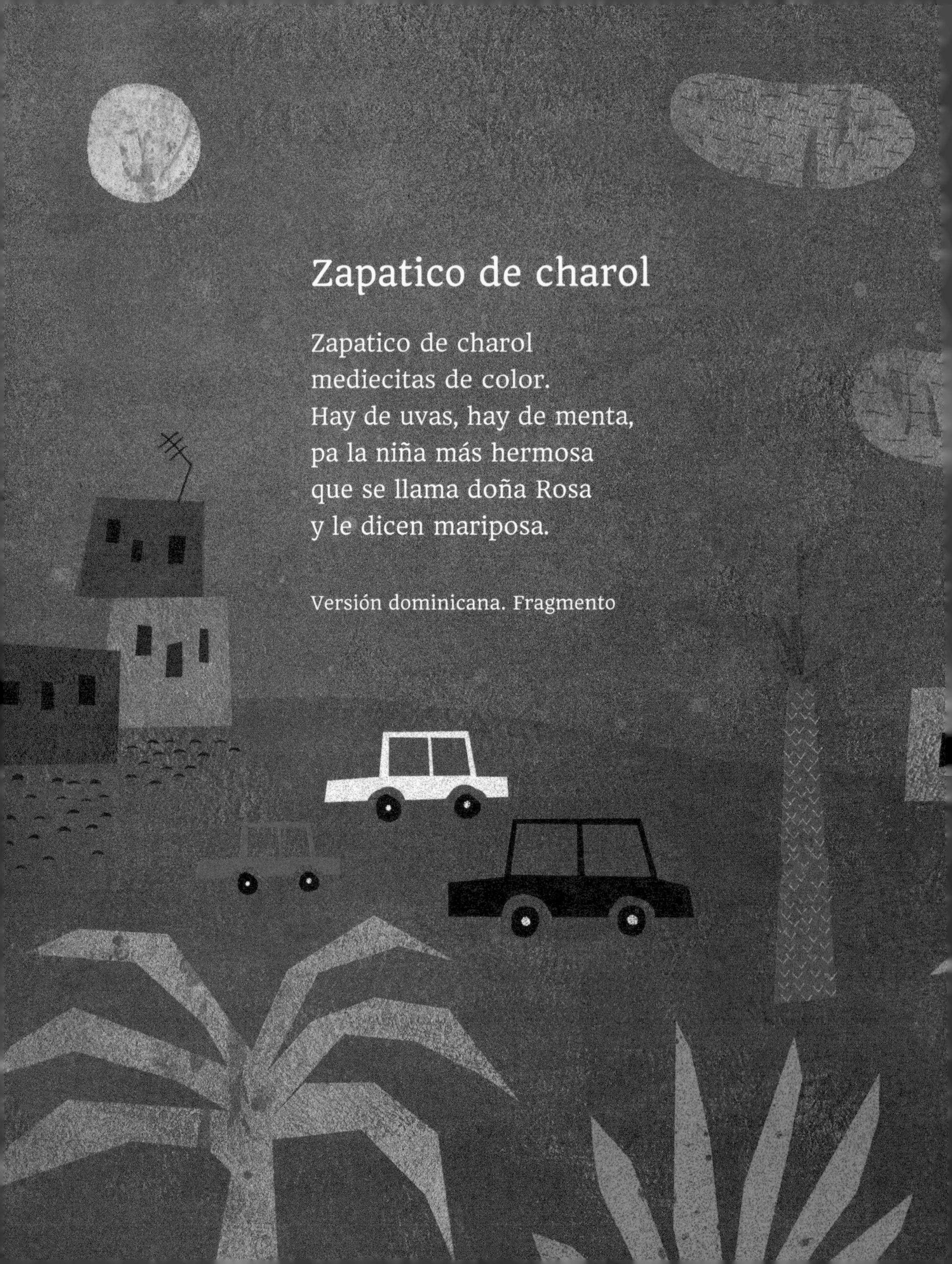

Zapatico de charol

Zapatico de charol
mediecitas de color.
Hay de uvas, hay de menta,
pa la niña más hermosa
que se llama doña Rosa
y le dicen mariposa.

Versión dominicana. Fragmento

Naranja dulce

Naranja dulce
limón partido,
dame un abrazo
que yo te pido.

Si fuera falso
tu juramento,
en un momento
te olvidaré.

Toca la marcha,
mi pecho llora,
adiós señora
que ya me voy.

Si acaso muero
en la batalla
tened cuidado
de no llorar.

Versión puertorriqueña. Fragmento

Arroz con leche

Arroz con leche,
me quiero casar
con una señorita
de la capital,
que sepa coser,
que sepa bordar,
que sepa abrir la puerta
para ir a jugar.

Con ésta sí, con ésta no,
con esta señorita me caso yo.

Versión mexicana. Fragmento

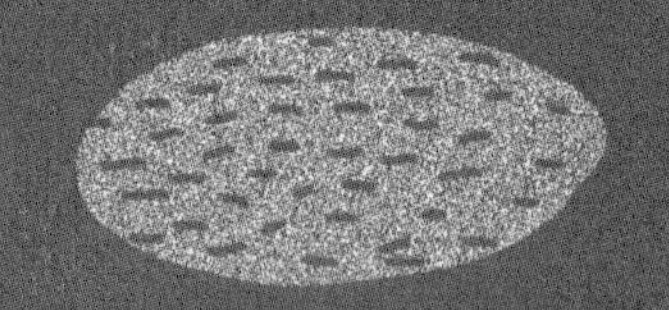

La víbora de la mar

A la víbora, víbora
de la mar, de la mar,
por aquí pueden pasar.
Los de adelante corren mucho
y los de atrás se quedarán,
tras, tras, tras.

Una mexicana que fruta vendía:
ciruela, chabacano, melón o sandía.

Verbena, verbena, la virgen de la cueva.
Verbena, verbena, jardín de matatena.

Campanita de oro
déjame pasar
con todos mis hijos
menos el de atrás,
tras, tras, tras.

Será melón, será sandía,
será la vieja del otro día, día, día.

Versión mexicana. Fragmento

Que llueva

Que llueva, que llueva
el quetzal está en la cueva.
Los pajaritos cantan,
las nubes se levantan.
¡Que sí, que no,
que caiga un chaparrón!
¡Que sí, que no,
con azúcar y turrón!

Que llueva, que llueva
la llama está en la cueva.
Los pajaritos cantan,
las nubes se levantan.
¡Que sí, que no,
que caiga un chaparrón!
¡Que sí, que no,
con azúcar y turrón!

Versión ecuatoriana. Fragmento

Las estrellitas

Corre, corre niño,
pajarito vuela,
que las estrellitas
ya están en la escuela.

La maestra luna dicta la lección,
y las estrellitas ponen atención.
Una nube negra es el pizarrón,
un trozo de viento es el borrador:
déjelo que borre y se porte mejor.

Una estrella chica se pinta de tiza
y las estrellitas se mueren de risa:
ja ja ja ja ja, ja je ji jo ju
y las estrellitas encienden su luz.

Versión salvadoreña. Fragmento

Los pollitos

Los pollitos dicen
pío, pío, pío,
cuando tienen hambre,
cuando tienen frío.

La gallina busca
el maíz y el trigo,
les da la comida
y les presta abrigo.

Bajo sus dos alas
acurrucaditos,
hasta el otro día
duermen los pollitos.

Versión argentina. Fragmento

A la rorro niño

A la rorro niño
a la rorro ya,
duérmase mi niño
duérmaseme ya.

Este niño lindo
que nació de día,
quiere que lo lleven
a comer sandía.

Este niño lindo
que nació de noche,
quiere que lo lleven
a pasear en coche.

A la rorro niño
a la rorro ro,
duérmase mi niño
duérmase mi amor.

Versión mexicana. Fragmento

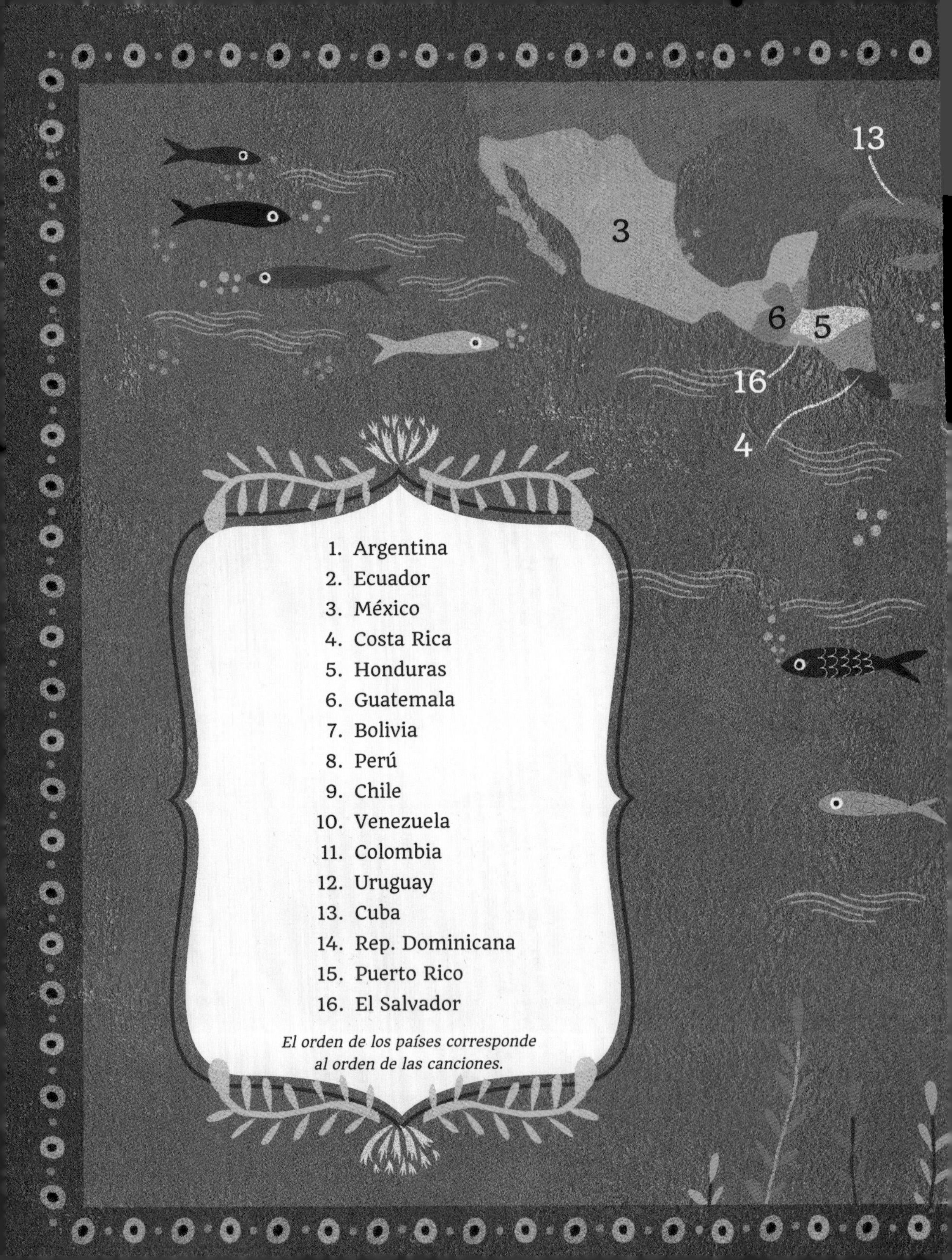
13
3
6
5
16
4
1. Argentina
2. Ecuador
3. México
4. Costa Rica
5. Honduras
6. Guatemala
7. Bolivia
8. Perú
9. Chile
10. Venezuela
11. Colombia
12. Uruguay
13. Cuba
14. Rep. Dominicana
15. Puerto Rico
16. El Salvador
El orden de los países corresponde al orden de las canciones.

15
14
N
O
E
S
10
11
2
8
7
9
1
12

Glosario

ají. Chile o pimiento; fruto pequeño y alargado que pone fuego en la lengua.

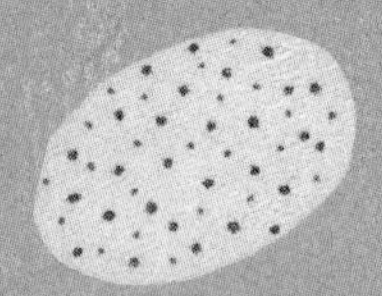

arepita. Porción circular de masa de maíz, cocida a fuego. Se parece a una gordita.

barroso. Como pintado de lodo o barro de tierra rojiza.

cañal. Cañaveral, un terreno azucarado lleno de cañas.

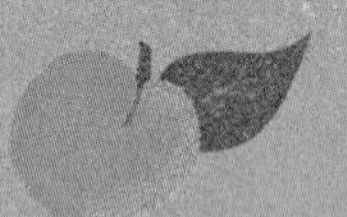

chabacano. Fruta prima del durazno pero más suave.

colorado. O se pone rojo de la pena o se pintó.

encantada. Hechizada por arte de magia.

flores de mimé. Flores para mimar y dar cariño.

mamey. Fruta que parece una almendra muy grande y es de carne suave y dulce.

manteca. La grasa del cerdo o la mantequilla.

matatena. Es un juego de manos rápidas; también se llama payana, jackses, yaquis o macateta.

marfil. Hueso, en especial el colmillo de elefante.

maromé. Maromas, marometas, vueltas en el aire.

pampa. Llanura argentina con muy pocos árboles y climas templados.

petenera. Canción, al son de una guitarra.

quetzal. Pájaro de Centroamérica, muy verde y de larga cola.

tiza. Gis, barra de yeso para dibujar en el pizarrón.

topetones. Darle con la cabeza a una cosa más dura.

verbena[1]. Flores de colores y de fiesta.

verbena[2]. Fiesta popular de colores y algarabía.

víbora. La gente se pone en fila, baila y avanza, baila y avanza.

yuca. Raíz comestible de la planta de la yuca.

yucal. Terreno sembrado de yucas.

zapatico. Zapato chiquito, chiquitico.